Un cerebro para pensar

Anita Ganeri

EVEREST

Título original: *Brain box*
Traducción: Alberto Jiménez Rioja

First published by Evans Brothers Limited,
2A Portman Mansions, Chiltern Street, London W1U 6NR, United Kingdom.

Agradecimientos
El autor y el editor desean expresar su gratitud a las personas e instituciones siguientes por su amable permiso para reproducir fotografías:

Science Photo Library, p 5 (Astrid y Hanns-Frieder Michler, p 6 (Volker Steger), p 14 (CNRI), p 21 (BSIP), Laurent/Gluck, p 22 (Philippe Plailly; Richard Morgan, p 20.

Fotografías encargadas a Steve Shott.
Modelos de The Norrie Carr Agency y Truly Scrumptions Ltd.
Y gracias también a: Imran Akhtar, Kaneesha Watt, Billy Hart, Michael Chin, Iñaki Campbell-Arranz, Charlotte Hole, Jessica Ebsworth, Skye Johnson.

Carretera León-La Coruña, km 5 - LEÓN
ISBN: 84-241-1612-7
Depósito legal: LE. 1306-2004
Printed in Spain - Impreso en España

EDITORIAL EVERGRÁFICAS, S. L.
Carretera León-La Coruña, km 5
LEÓN (España)
Atención al cliente: 902 123 400
www.everest.es

NPL

Contenidos

EL PODER DEL CEREBRO

Tu cerebro es asombroso: es como un ordenador escondido dentro de tu cabeza que controla todo lo que haces. Te permite pensar, aprender y recordar. Te hace sentir cosas y le da sentido a lo que ocurre a tu alrededor. Se asegura de que cada parte de tu cuerpo funcione adecuadamente. Tu cuerpo manda información al cerebro, y después tu cerebro la filtra, la ordena y le dice a tu cuerpo qué hacer. Los mensajes recorren tu cuerpo llevados por unas estructuras a modo de largos y finos cables llamados **nervios.** Tu cerebro y tus nervios constituyen tu sistema nervioso.

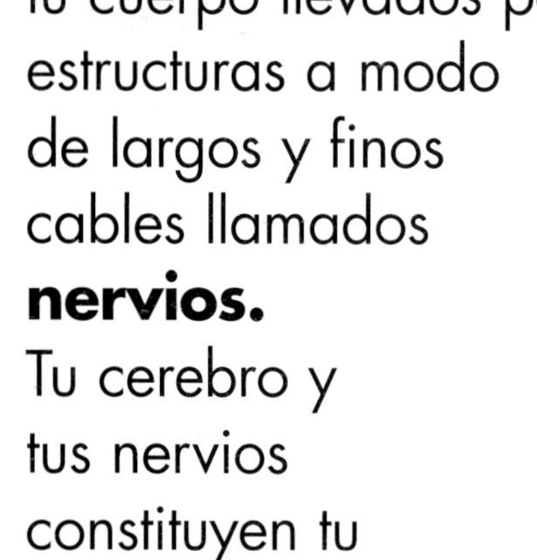

¡ASOMBROSO!

Cuando lees un libro, tus ojos envían mensajes al cerebro sobre las palabras y las ilustraciones. ¡Entonces tu cerebro te dice lo que estás leyendo y viendo!

Tu cerebro es la parte más importante de tu cuerpo. Sin él no serías capaz de hacer nada. Ocupa una dura cavidad ósea llamada **cráneo**, que lo protege de golpes y sacudidas. Los huesos de tu cráneo se unen unos a otros como las piezas de un puzzle, lo que hace que tu cráneo sea muy muy fuerte.

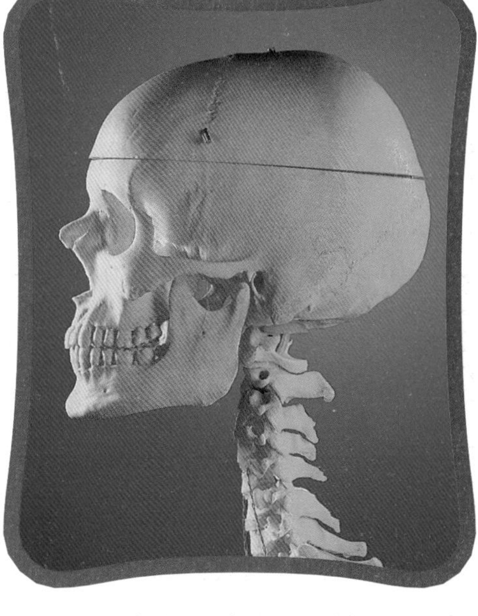

Tu cráneo óseo protege tu delicado cerebro.

¡MÍRAME! ¡MÍRAME! ¡MÍRAME! ¡MÍRAME!

Parece que los genios tienen cerebros grandes, pero no.... Todos lo tenemos más o menos del mismo tamaño, sin importar lo inteligente que sea.

TU ASOMBROSO CEREBRO

Tu asombroso cerebro se ajusta cómodamente dentro del cráneo, en la parte superior de tu cabeza. ¡Parece en cierto modo una masa de jalea grisácea! El cerebro de un adulto pesa aproximadamente 1,4 kilogramos, el equivalente a seis naranjas.

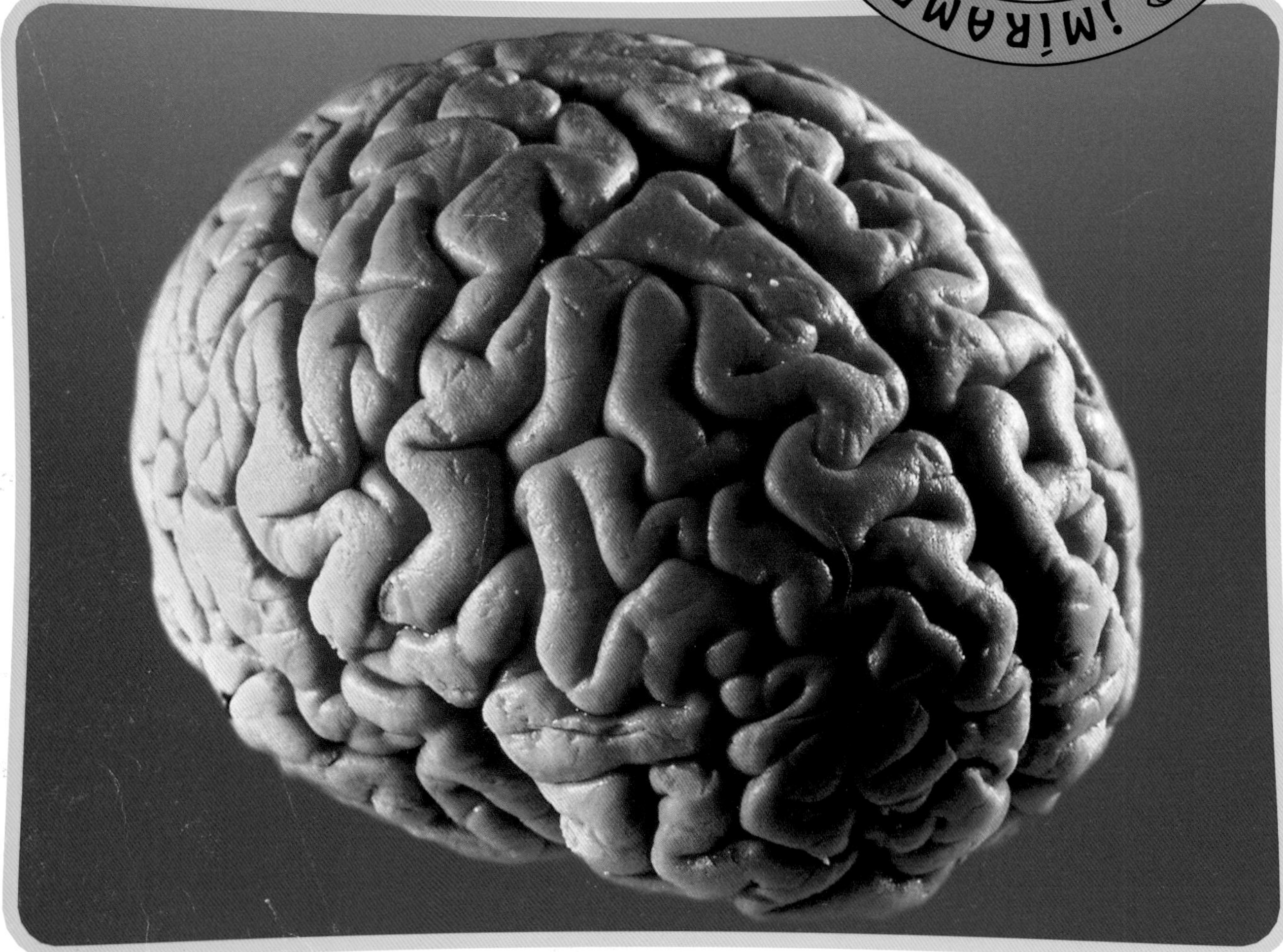

Un cerebro humano.

Tu cerebro está compuesto de millones y millones de **células** nerviosas unidas entre sí para enviar mensajes a tu cuerpo. Cada célula nerviosa está unida a miles de otras conformando una vasta red. Tu cerebro está cubierto por finos conductos, llamados **vasos sanguíneos**. Llevan hasta tu cerebro **oxígeno** del aire que respiras y nutrientes de los alimentos que comes. Como éste siempre está muy ocupado, necesita montones de oxígeno y de alimento para funcionar adecuadamente. El cerebro está envuelto por una resistente membrana (piel) que lo protege de cualquier daño.

¡ASOMBROSO!

Tu cerebro puede guardar tanta información como la que contienen veinte enciclopedias.

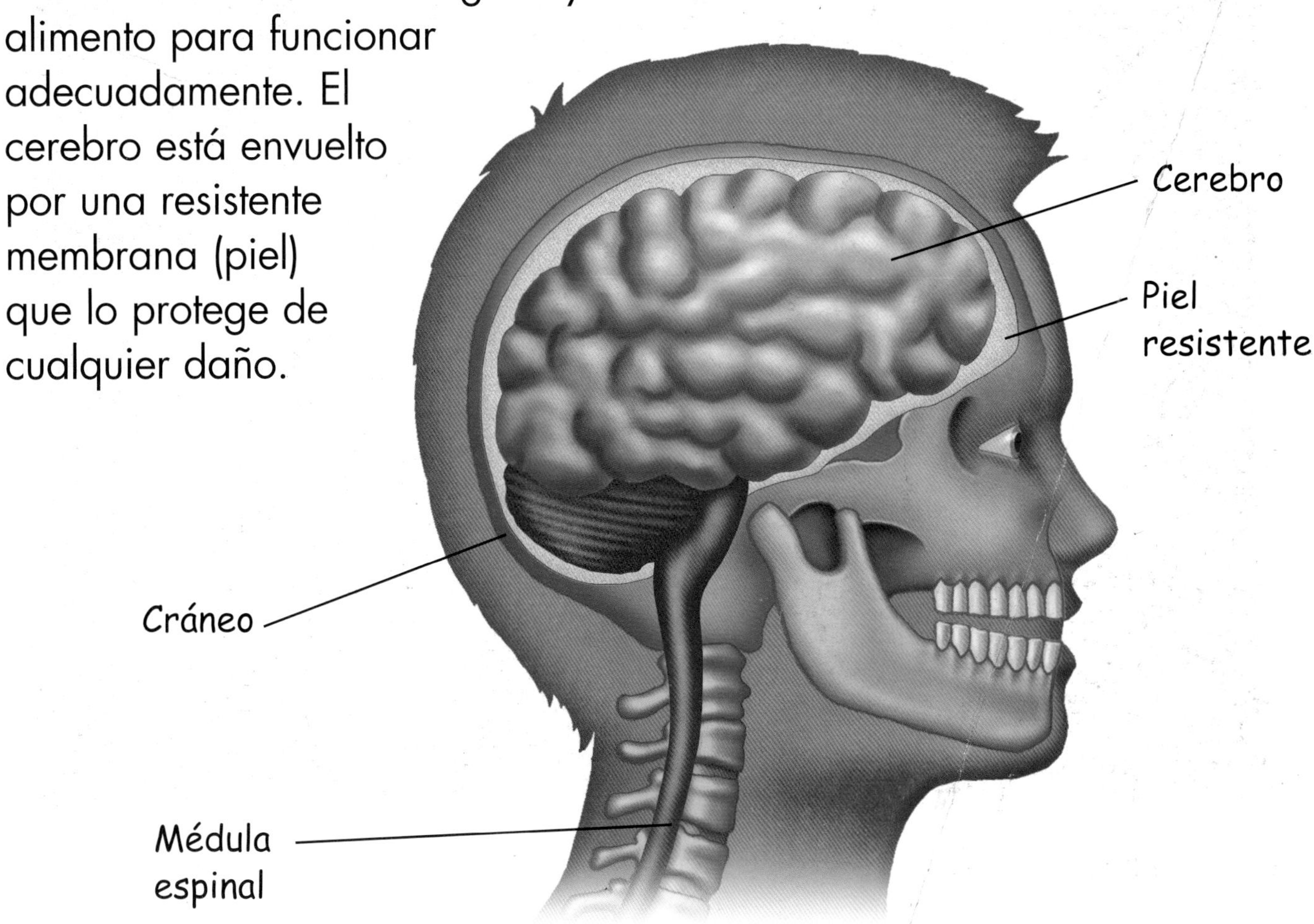

Mapa del cerebro

Tu cerebro se divide en distintas partes: cada una se ocupa de distintas clases de mensajes y tiene diferentes tareas que realizar. Para aclararte puedes usar el mapa que tienes delante.

TACTO
Esta parte recibe mensajes de tu piel.

AUDICIÓN
Esta parte recibe mensajes de tus oídos.

MOVIMIENTO
Esta parte controla cómo te mueves.

OLFATO
Esta parte recibe mensajes de tu nariz.

MEMORIA
Esta parte te ayudan a recordar y aprender cosas.

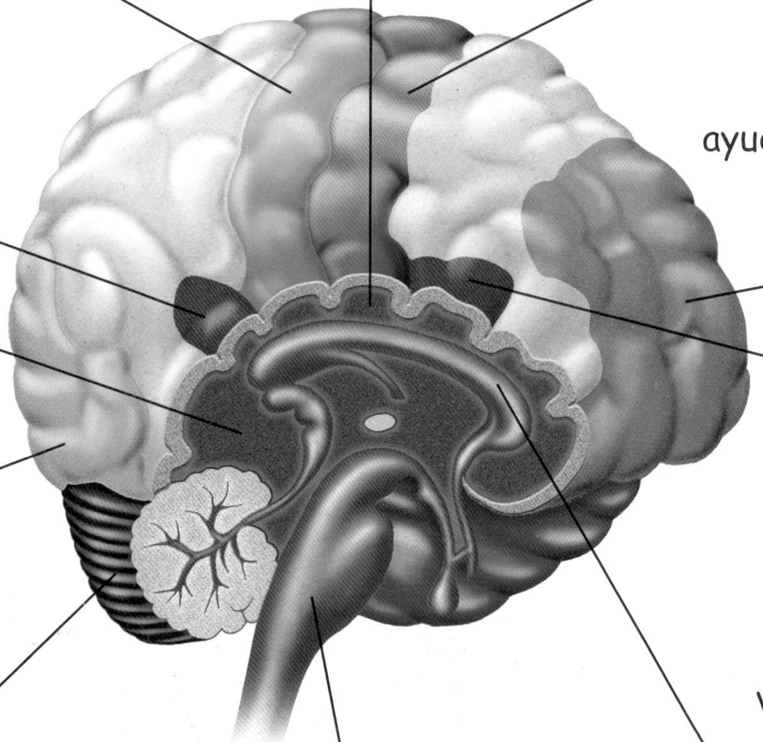

TÁLAMO
Esta parte hace que sientas dolor.

LENGUAJE
Esta parte te hace hablar y te permite entender las palabras que ves o que oyes.

VISIÓN
Esta parte recibe mensajes de tus ojos.

CEREBELO
Esta parte te ayuda a equilibrar y coordinar tus movimientos e impide que te caigas.

TALLO CEREBRAL / MÉDULA ESPINAL
Esta parte te hace respirar, tragar, toser, estornudar y latir tu corazón.

HIPOTÁLAMO
Esta parte hace que te sientas hambriento y sediento. Mantiene también tu cuerpo a la temperatura adecuada.

¡MÍRAME! ¡MÍRAME! ¡MÍRAME! ¡MÍRAME! ¡MÍRAME!
Una parte de tu cerebro se ocupa de dar paso sólo a los mensajes importantes; de otro modo pronto se sobrecargaría.
¡ASOMBROSO!
Cada día miles de células cerebrales mueren: no pueden ser reemplazadas. ¡Pero no te preocupes, tienes muchísimas!

Cerebro izquierdo y derecho

La parte principal de tu cerebro tiene dos lados: el lado derecho de tu cerebro cuida la mitad izquierda de tu cuerpo y el lado izquierdo de tu cerebro se ocupa de la mitad derecha de tu cuerpo.

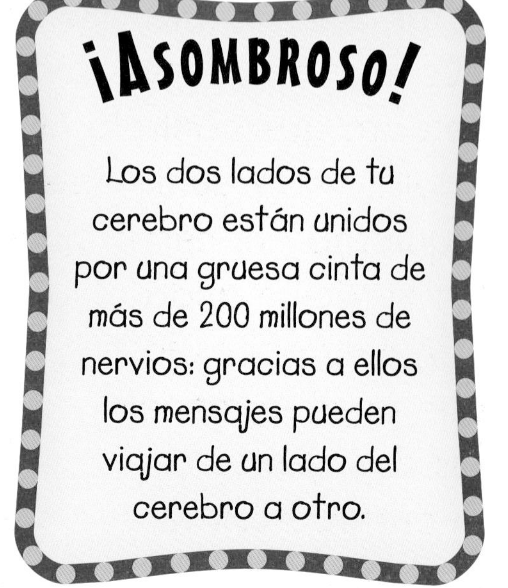

Cada mitad de tu cerebro se ocupa de diferentes actividades y destrezas. En la mayoría de la gente, el lado izquierdo del cerebro controla cosas que necesitan ser pensadas cuidadosamente o deducidas, como hacer sumas o jugar una partida de ajedrez. El lado derecho del cerebro controla actividades artísticas tales como dibujar, pintar o tocar un instrumento musical.

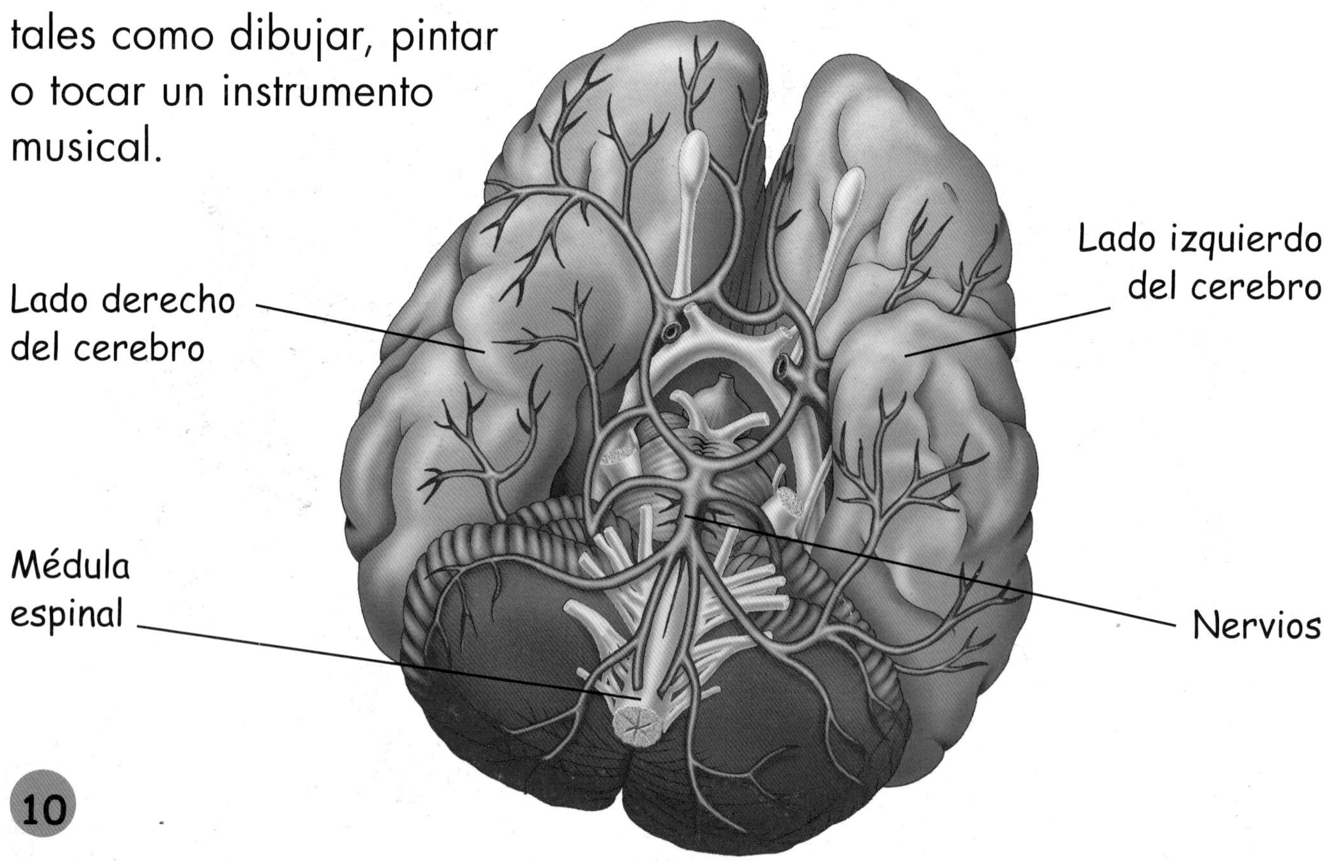

¿Eres zurdo o diestro? La mano con la que escribes depende del lado del cerebro que controla tu lenguaje y tu habla. En la gente diestra, es el lado izquierdo del cerebro, mientras que en los zurdos manda el lado derecho. Son muy pocos los que pueden manejar las dos manos con la misma destreza: se llaman **ambidextros.**

¡Qué nervios!

Tus nervios son como cables largos y finos que recorren todo el cuerpo. Llevan mensajes desde el cerebro y al cerebro. Si de repente te pica, los nervios de tu piel mandan un mensaje a tu cerebro, que percibe el picor y envía otro mensaje a tu mano indicándole rascarse.

Si pudieras poner uno detrás de otro todos los nervios de tu cuerpo tendrían casi 200 veces la longitud de una pista de atletismo.

La autopista principal de tus nervios está en el centro de tu espalda: es un grueso manojo de nervios llamado **médula espinal**. Encerrada en la columna vertebral, sirve para transportar los mensajes enviados por el cerebro y distribuirlos por los distintos nervios para llegar a todas las partes de tu cuerpo. Sirve también para dar paso a los mensajes que viajan de cualquier parte de tu cuerpo hacia tu cerebro.

Tienes unos asombrosos 100 millones de nervios. Algunos llevan mensajes de tus cinco **sentidos** (ojos, oídos, lengua, nariz y piel) hasta tu cerebro; otros llevan mensajes de tu cerebro a tus músculos y otros, por fin, llevan mensajes de un nervio a otro.

Cómo funcionan los nervios

Los nervios se componen de haces de células nerviosas que parecen cables diminutos. Una célula nerviosa es tan pequeña que necesitas un **microscopio** para verla, aunque ciertas células nerviosas tienen más de un metro de largo. Pero ¿cómo funcionan tus nervios?

Células nerviosas en tu cerebro.

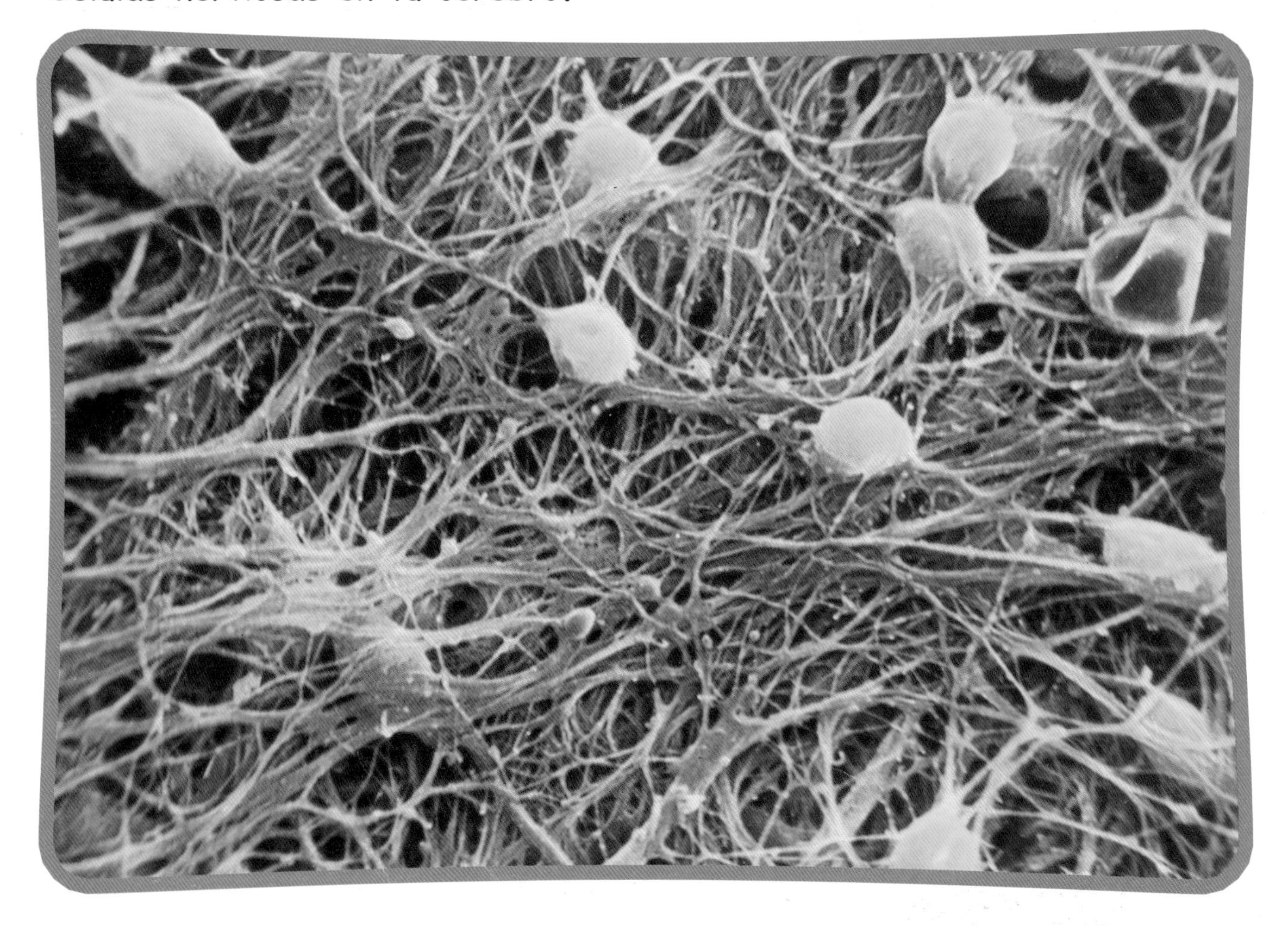

Imagínate que te das un golpe en un dedo del pie. Tus nervios envían mensajes a través de tu cuerpo hasta tu cerebro, donde sientes el dolor. ¡Ay! Tus células nerviosas no se tocan entre sí, sino que hay pequeños espacios entre ellas: los mensajes tienen que saltar estos espacios para pasar de una célula nerviosa a la siguiente.

El dolor que te produce un golpe es también muy útil, ya que es un sistema de alarma del cuerpo. El dedo te duele porque tu cuerpo te está diciendo que te detengas, que hay algo que te impide el paso.

¡MÍRAME!

Las señales dolorosas viajan más rápido hacia tu cerebro que las táctiles. Cuando te golpeas un pie, sientes el dolor aproximadamente un segundo después.

Reacciones rápidas

Si te pinchas el dedo con un alfiler, retiras la mano inmediatamente, sin pensarlo: esto se llama **acto reflejo**. Te ayuda a proteger el cuerpo de los peligros. Normalmente, tus nervios envían un mensaje al cerebro, y después éste envía un mensaje a tus músculos indicándoles que se muevan. En un acto reflejo, sin embargo, tus nervios mandan un mensaje directamente a tus músculos para indicarles que se muevan de inmediato. Esto ahorra tiempo.

¡MÍRAME!

Si, con las piernas cruzadas, te dan un golpecito justo debajo de la rótula, el pie se proyecta hacia delante. Eso es así porque tus reflejos funcionan.

¿Has sentido alguna vez un hormigueo? Si te sientas un rato sobre una mano o un pie, se te duerme y hormiguea. Esto se debe a que los nervios no pueden enviar los mensajes adecuadamente. Cuando quitas el peso del pie o la mano, los nervios empiezan a funcionar de nuevo y es cuando sientes hormigueos y cosquillas.

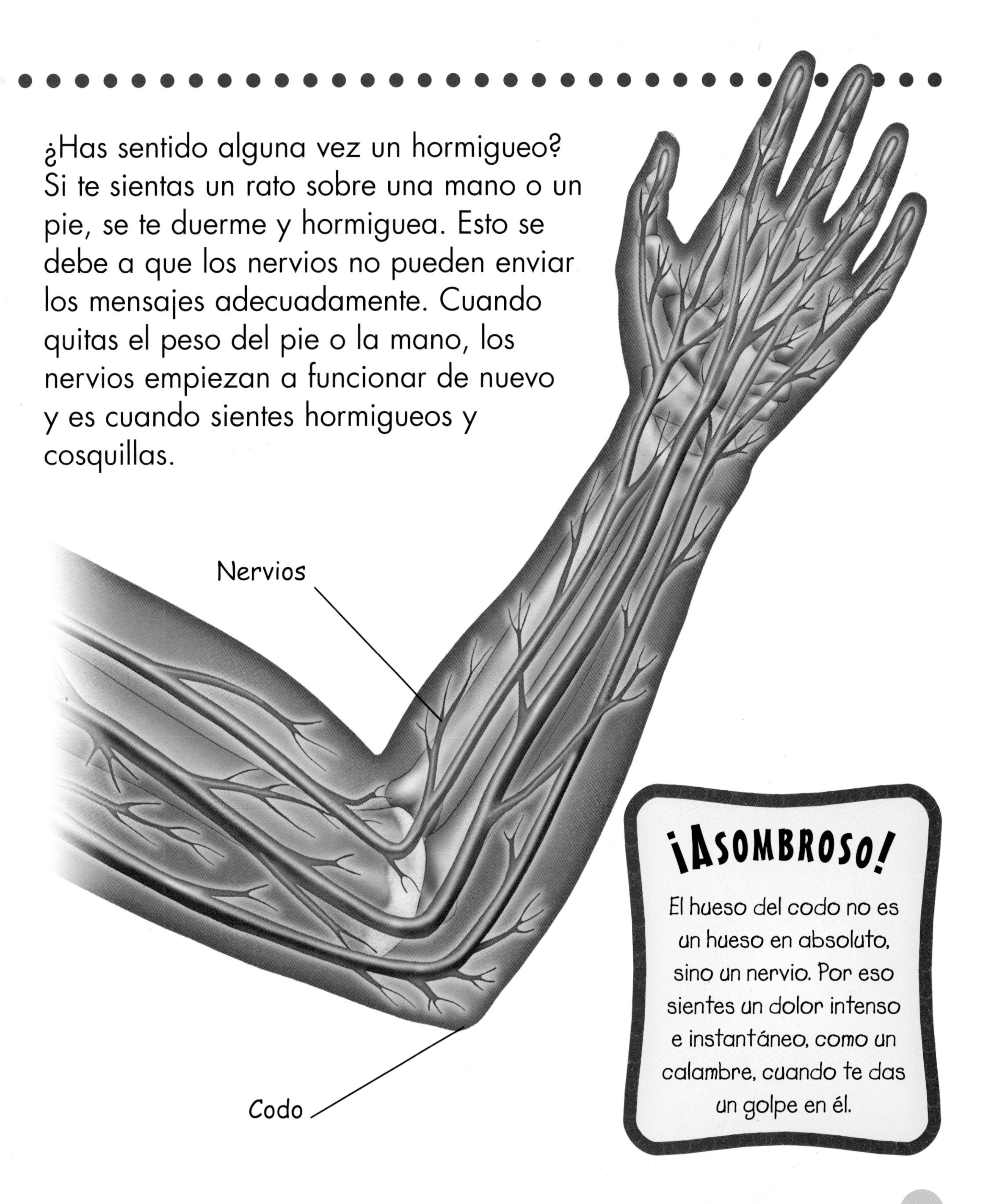

¡Asombroso!

El hueso del codo no es un hueso en absoluto, sino un nervio. Por eso sientes un dolor intenso e instantáneo, como un calambre, cuando te das un golpe en él.

Aprender una lección

Tu cerebro es también la parte de tu cuerpo que aprende y recuerda. Sigues aprendiendo durante toda tu vida. Cuando eres un niño aprendes a sonreír, andar y hablar; en la escuela aprendes a leer y a escribir.

Aprender una lección puede ser un duro trabajo. Piensa en hacer sumas, por ejemplo: tu profesor escribe una suma en la pizarra. Tus ojos la miran y luego mandan información al cerebro. Tu brillante cerebro averigua la respuesta y luego envía un mensaje a los músculos de tu mano para que la escriban.

¡Asombroso!

Algunas personas tienen memoria fotográfica: esto significa que pueden recordar una página sin leer las palabras. Lo que recuerdan es una "fotografía" de la página.

Según aprendes, tu cerebro almacena información en forma de **recuerdos**. Pero tu cerebro no puede recordarlo todo: de lo contrario, se llenaría por completo. Recuerdas las cosas importantes, como tu primer día en el colegio, pero olvidas las cosas sin importancia, como lo que merendaste la semana pasada.

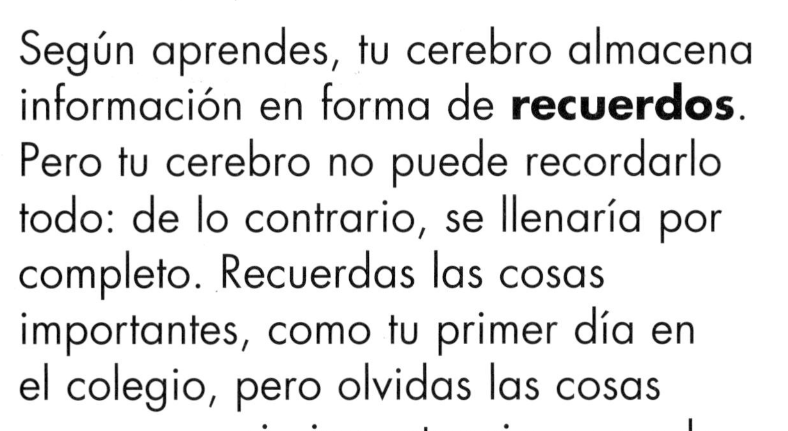

¡MÍRAME!

¿Es buena tu memoria? Pon diez objetos en una bandeja y míralos durante quince segundos: luego aparta la vista e intenta recordar tantos como puedas.

¡Buenas noches!

Tu cerebro y tu cuerpo trabajan duramente todo el día. El cansancio es el modo de decirte que tienes necesidad de descansar. Cuando estás dormido, tu cuerpo está mucho menos activo, y tu cerebro no tiene que preocuparse por lo que sucede a tu alrededor. Sin embargo, tu cerebro no deja de funcionar del todo: se asegura de que tu corazón siga latiendo, de que sigas respirando y de que continúes **digiriendo** tu comida.

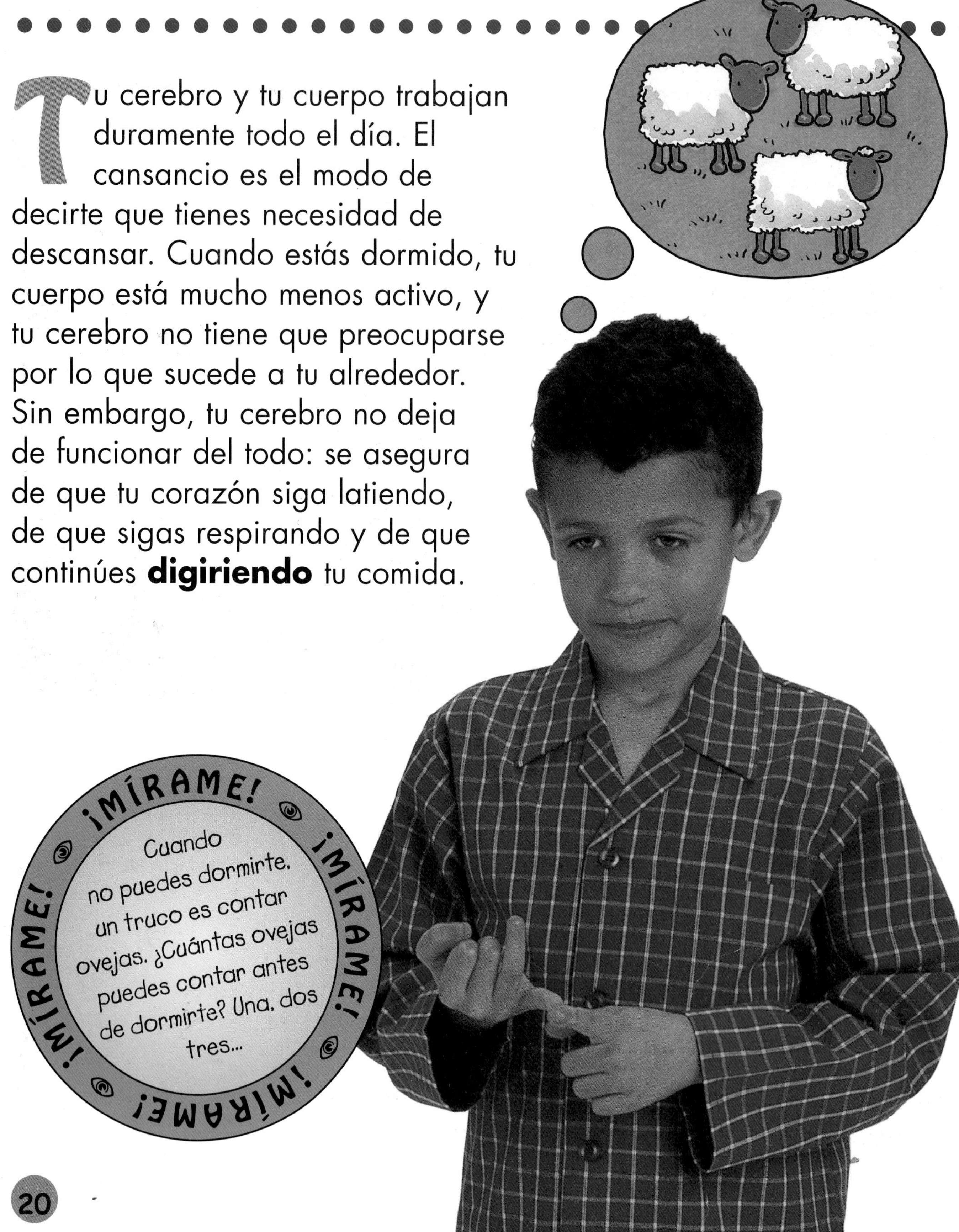

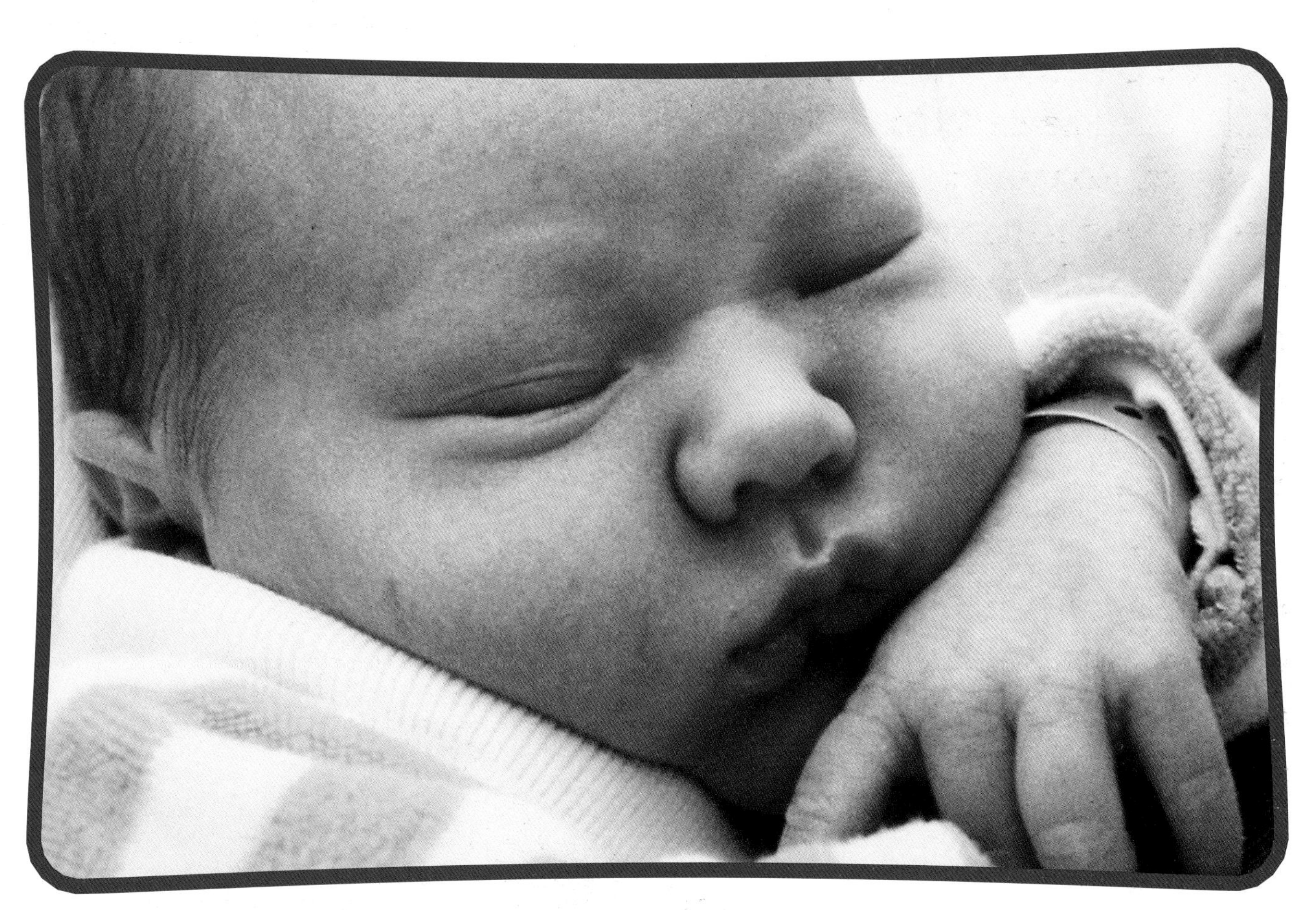

Un bebé recién nacido necesita dormir mucho.

El sueño le permite a tu cuerpo crecer y repararse. Le da también a tu cerebro la posibilidad de ordenar toda la información que recibe durante el día. La cantidad de sueño que necesitas depende de lo que haces durante el día y de la edad que tengas. Los adultos necesitan dormir de siete a ocho horas por noche, mientas que tú probablemente necesites unas diez.

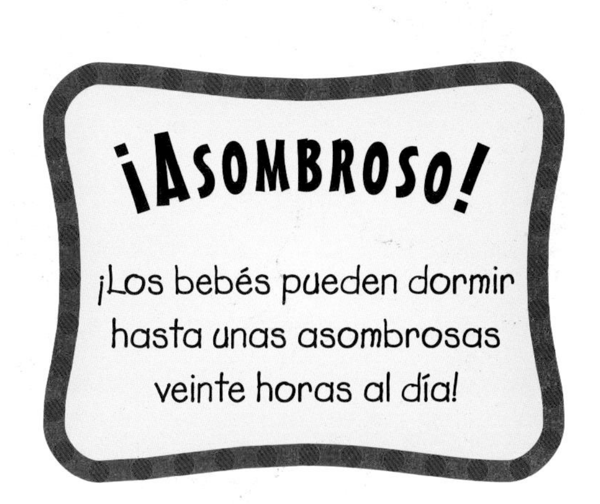

¡ASOMBROSO!

¡Los bebés pueden dormir hasta unas asombrosas veinte horas al día!

DULCES SUEÑOS

Los sueños son historias e imágenes que tu cerebro fabrica mientras duermes. Aunque no ocurren en realidad, parecen muy reales. Los sueños están relacionados a menudo con cosas que te han sucedido durante el día: puedes soñar sobre un programa de televisión que hayas visto o sobre algo que hayas leído en un libro. Algunos sueños son muy raros y otros pueden darte miedo: se llaman **pesadillas**. Pero no te preocupes, cesan cuando despiertas.

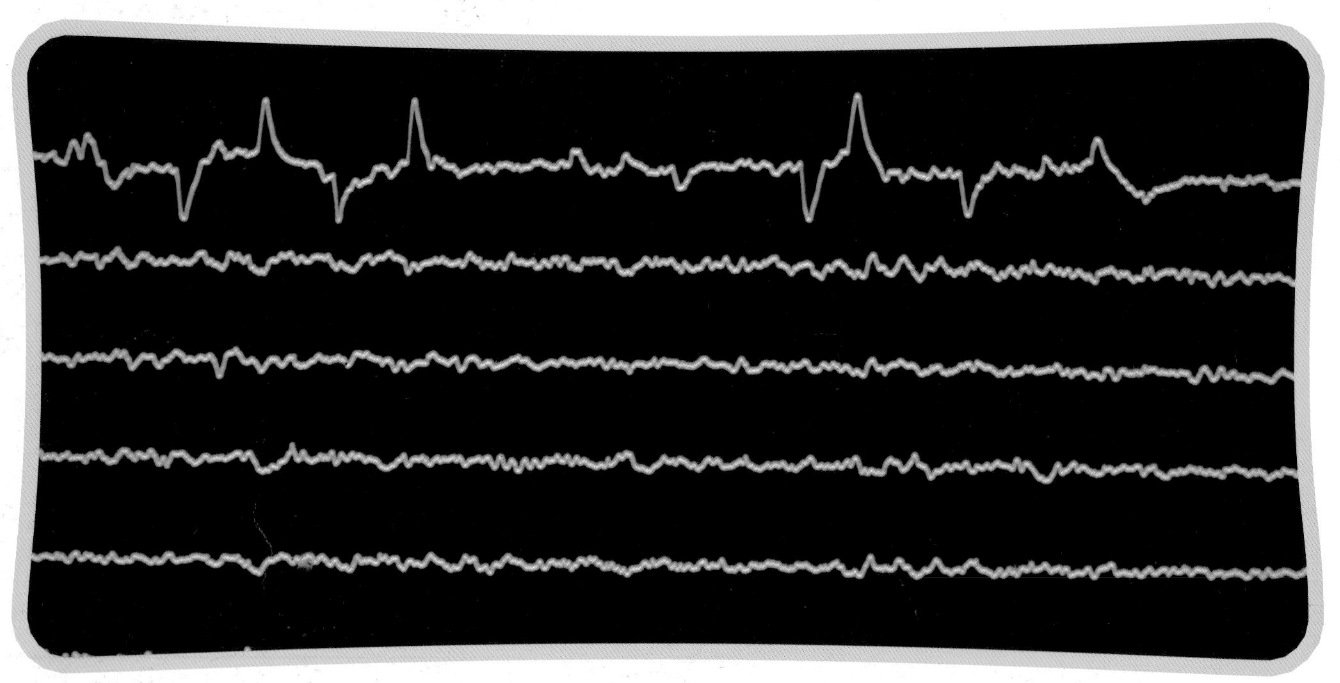

Estas líneas irregulares en la pantalla del monitor muestran que tu cerebro funciona a toda máquina incluso, cuando estás dormido y soñando.

Hay ideas muy distintas sobre lo que significan los sueños. Si sueñas que vuelas puede significar que te sientes muy feliz o confiado. Si sueñas que caes podrías estar preocupado por un examen del colegio, y si sueñas que te persiguen tal vez tengas un problema que necesita resolverse.

GLOSARIO

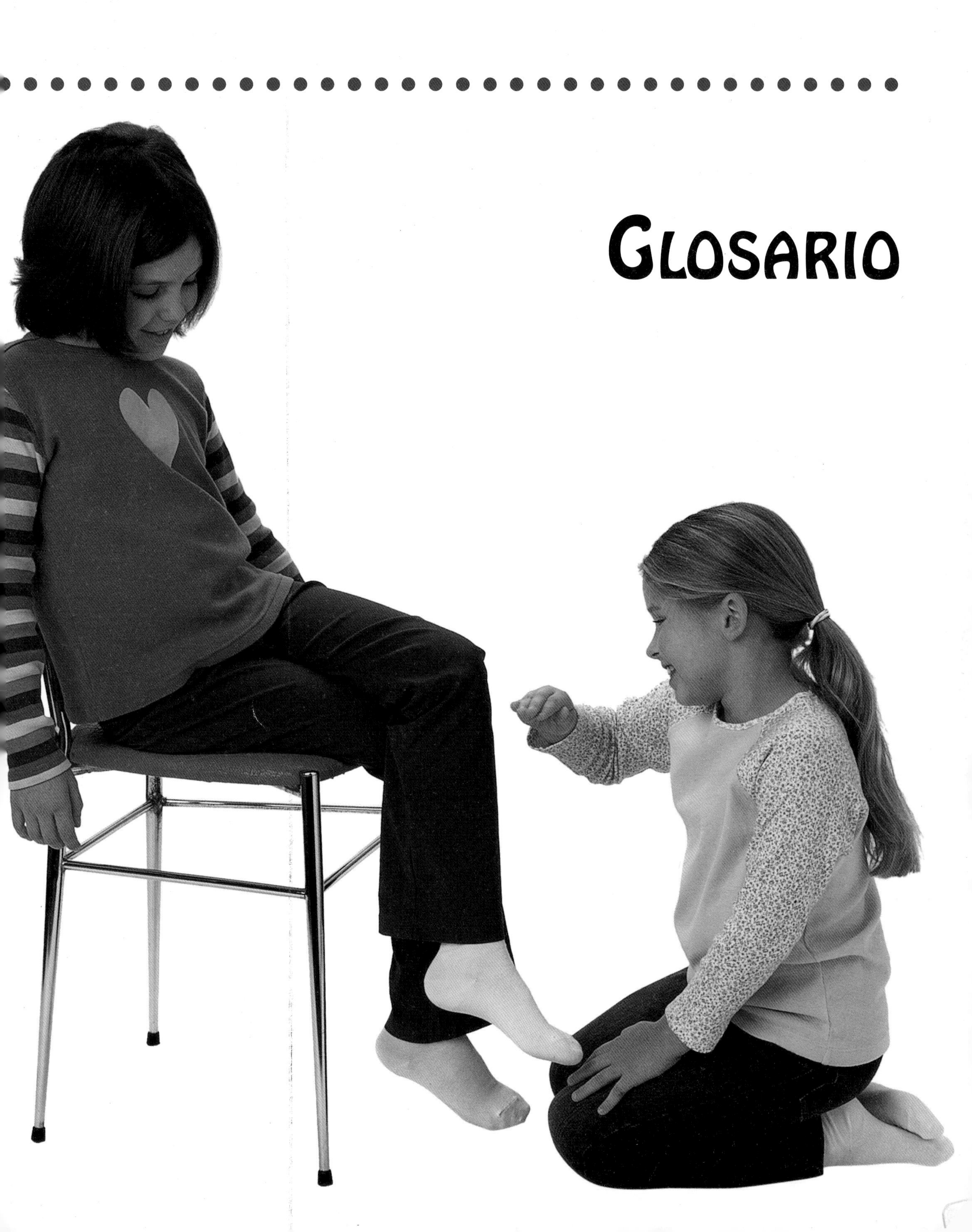

Glosario

Acto reflejo
Reacción automática, tal como retirar la mano si tocas algo muy caliente.

Ambidextro
Capaz de escribir tanto con la mano derecha como con la izquierda.

Células
Los diminutos bloques constructivos que forman cada parte de tu cuerpo.

Cráneo
El duro contenedor óseo de tu cabeza, que protege a tu cerebro de golpes y sacudidas.

Digerir
Romper lo que comes en trocitos tan pequeños que pueden entrar en tu sangre.

Médula espinal
El grueso haz de nervios que baja por tu espalda contenido dentro de la columna vertebral.

Microscopio
Instrumento usado para mirar objetos que son demasiado pequeños para ser vistos de otra forma.

Nervios
Células especiales que llevan mensajes entre tu cuerpo y tu cerebro. Parecen cables finos.

Oxígeno
Un gas del aire que necesitas respirar para mantenerte vivo.

Pesadillas
Malos sueños.

Recuerdos
Información de cosas que han ocurrido en el pasado y que tú recuerdas.

Sentidos
El modo en que tu cuerpo te informa de lo que sucede a tu alrededor. Tus cinco sentidos son oído, tacto, gusto, vista y olfato.

Vasos sanguíneos
Los delgados conductos que llevan la sangre a todas las partes de tu cuerpo.

ÍNDICE
ANALÍTICO

Índice analítico